Mystère à bord

Pour Anis
L. Alloing

Les mots du texte suivis du signe * sont expliqués
sur le rabat de couverture.

www.editions.flammarion.com

87, quai Panhard et Levassor – 75647 Paris Cedex 13
Dépôt légal : février 2007 – ISBN : 978-2-0816-3478-7
Loi n°49-956 du 16 juillet 1949 sur les publications destinées à la jeunesse

Paul Thiès

Louis Alloing

Mystère à bord

Chapitre 1

Un trésor arrive !

Les petits pirates ont la belle vie : ils collectionnent des coquillages, des pièces en chocolat et même de vraies pièces d'or… quand leurs parents, les grands pirates, trouvent un trésor.

Et, en plus, ils mangent du requin rôti le dimanche. Mais il arrive que les petits pirates deviennent très nerveux, surtout s'ils apprennent qu'ils vont avoir un petit frère ou une petite sœur. Et c'est exactement ce qui arrive à Plume, le fils du fameux capitaine Fourchette ! Il mange tranquillement sa salade d'étoiles de mer quand ses parents échangent un regard joyeux.

– Les enfants, nous avons une grande nouvelle à vous annoncer ! commence la maman de Plume d'une voix émue. Vous aurez bientôt un petit frère ou une petite sœur !

– Quoi ??? sursaute Plume en oubliant sa salade.

– Mais ce n'est pas possible ! s'écrie Charlotte, qui a tout juste un an de moins que lui.
– Et pourquoi ? interroge le capitaine Fourchette.
– Vous n'êtes quand même pas jaloux, les enfants ? demande amusée Maman Marguerite.

– Heu, non mais, marmonne Plume qui, en réalité, est déjà un peu jaloux.
– On n'arrivera pas à lui donner un prénom, au bébé ! s'exclame Charlotte.

Il faut dire que tous les enfants Fourchette ont des noms de gâteau : Honoré, l'aîné, Madeleine, la grande sœur, Parfait (on l'appelle Plume, parce qu'il est un peu maigrichon) et enfin la dernière, Charlotte. Le capitaine Fourchette était pâtissier avant de devenir pirate ; mais comme il aimait les voyages, il a vendu sa pâtisserie pour acheter son navire, le *Bon Appétit*.
– Ne vous inquiétez pas, je suis sûre qu'on trouvera un joli prénom pour le bébé, affirme Maman Marguerite.

Les parents font la sieste dans leur cabine. Maman Marguerite doit se reposer souvent à cause du bébé qui s'annonce. Et le capitaine Fourchette reste auprès d'elle.

Honoré remplace son père au gouvernail pendant que Madeleine et Juanito, le jeune mousse du *Bon Appétit*, révisent une leçon de géographie, une matière vraiment très importante chez les pirates. Et puis... ils échangent des regards brûlants et des paroles romantiques, car depuis que Juanito a pu échapper à son ancien maître, l'affreux forban Barbe-Mousse, ils sont amoureux comme des tourtereaux, des étourneaux, de vrais moineaux !

Pendant ce temps-là, Plume et Charlotte bavardent sous le grand mât.

– Peuh ! Moi, j'ai pas envie de bébé, ronchonne Plume.
– Maman a raison, tu es jaloux ! rigole Charlotte.
– Pas toi ? réplique Plume.
– Ben… si, soupire Charlotte en baissant la tête. Mais, en même temps, je suis contente. Je suis sûre qu'on l'aimera beaucoup, le bébé !

Quel choc pour Plume et Charlotte ! Ils vont avoir un petit frère ou une petite sœur.

Chapitre 2

Fille ou garçon ?

Maman Marguerite exige que le *Bon Appétit* soit propre comme un sou neuf pour l'arrivée du bébé.

– Je veux que le bateau brille de la proue* à la poupe ! ordonne-t-elle.

Plume et Charlotte doivent laver le pont toutes les dix minutes, mais personne ne discute. Maman Marguerite est si nerveuse, qu'elle menace de les jeter aux requins si elle aperçoit un grain de poussière !

Heureusement les grands amis de Plume, Perle et Petit-Crochet, venus lui rendre visite pour quelques jours, les aident à frotter. Petit-Crochet est le fils du féroce capitaine Barbe-Jaune et de la célèbre flibustière Marie la Murène. Il a trois grandes sœurs, mais pas de bébé sur son bateau. Perle est la fille d'un roi cannibale. Elle est enfant unique et n'a que son perroquet, Noix de Coco, pour jouer avec elle.

– Tu as de la chance, Plume, remarque-t-elle. J'aimerais bien avoir une petite sœur, moi aussi.
– Quoi ? Une sœur ? Quelle horreur ! s'écrie Plume. J'espère au moins que le bébé sera un garçon !
– Moi aussi ! l'approuve Petit-Crochet.
– Et pourquoi ? Les filles, c'est bien mieux ! répliquent ensemble Perle et Charlotte. Le bébé sera sûrement une fille !

Et là, une grande bagarre éclate. Plume et Petit-Crochet veulent absolument un garçon, Charlotte et Perle, une fille. Alors, c'est la bagarre ! Après tout, c'est normal pour des pirates !

Flic-Flac le dauphin apprivoisé de Petit-Crochet qui nage autour du *Bon Appétit* se demande ce qui se passe. Il saute le plus haut possible pour regarder sur le pont.

– Mais qu'est-ce que c'est que tout ce raffut* ? gronde soudain le capitaine Fourchette en sortant de sa cabine, suivi par Maman Marguerite et son ventre arrondi. Vous n'êtes même pas capables de rester sages pendant dix minutes ?

Plume et ses copains baissent la tête.
– Soyez sérieux, leur reproche le capitaine Fourchette. Nous devons encore préparer le message.
– Quel message ? s'étonne Plume.
– Un beau parchemin qui va annoncer la naissance du bébé, explique le capitaine Fourchette.
– Un parchemin ? Et on l'enverra à qui ? s'informe Charlotte.
– À tes grands-parents, à la famille et à tous nos amis.
– Mais tu leur diras quoi ? demande Plume, puisqu'on ne sait pas encore le nom de mon petit frère.
– Le nom de ma petite sœur ! intervient Charlotte.

– Ça suffit ! ordonne Maman Marguerite. Voilà ce qu'on écrira à nos amis :

– C'est quand même intelligent, les parents, remarque Plume.

C'est Tarte aux Pommes qui portera le parchemin aux autres pirates. Il bat fièrement des ailes, pendant que les enfants se regardent, impressionnés.

Tarte aux Pommes ira porter le message annonçant l'arrivée d'un nouveau trésor à bord du *Bon Appétit*.

Chapitre 3

Le combat naval

Les jours passent et Plume se sent assez nerveux. Tarte aux Pommes n'est toujours pas revenu !

Un soir, un épais brouillard enveloppe le *Bon Appétit*.

Plume se couche, vaguement mal à l'aise. Il se tourne et se retourne dans son hamac en rêvant de trésors, d'abordages et de squelettes avec un sabre entre les dents.

Soudain, un bruit terrible le réveille en sursaut. Plume saute sur ses pieds et se précipite sur le pont. Catastrophe ! Calamité ! Un boulet vient de crever la grand-voile du *Bon Appétit* !

Le brouillard se dissipe lentement et Plume, épouvanté, se rend compte que trois bateaux pirates, *Le Massacreur, Le Carnage* et *L'Épouvante,* entourent le navire du capitaine Fourchette. Le *Bon Appétit* est cerné.

Plume frémit. *Le Massacreur*, c'est le navire du terrible Barbe-Mousse, *Le Carnage* appartient au capitaine Théodore Tranche-Tripes et *L'Épouvante* à Théodule Triple-Taupe, trois affreux forbans !

Le coup de canon a réveillé toute la famille réunie sur le pont.
– Mais que nous veulent-ils ? demande Charlotte d'une voix tremblante.
– Je n'en sais rien, répond le capitaine Fourchette en la serrant contre lui, comme pour la protéger.

À cet instant, un des pirates ennemis crie dans un porte-voix :
– Capitaine Fourchette ! Rendez-vous et donnez-nous votre trésor ou nous vous coulons !

Plume frémit en reconnaissant la voix de l'horrible Barbe-Mousse.
– Un trésor ? répète le capitaine Fourchette tout surpris. Mais quel trésor ?

Plume pointe de nouveau sa longue-vue sur *Le Massacreur* et sursaute en apercevant Tarte aux Pommes, prisonnier dans une cage. Plume comprend tout : Barbe-Mousse a capturé le perroquet, il a découvert le message écrit sur le parchemin et, comme il est très bête, il a cru que le trésor-bébé était un vrai trésor, un coffre rempli d'or et de diamants ! Il a appelé à son aide deux autres méchants pirates, et maintenant...

– Feu ! hurle Barbe-Mousse.

Les Fourchette se jettent à plat ventre sur le pont. Juste à temps ! Dix ou douze nouveaux boulets crèvent les voiles du *Bon Appétit*.

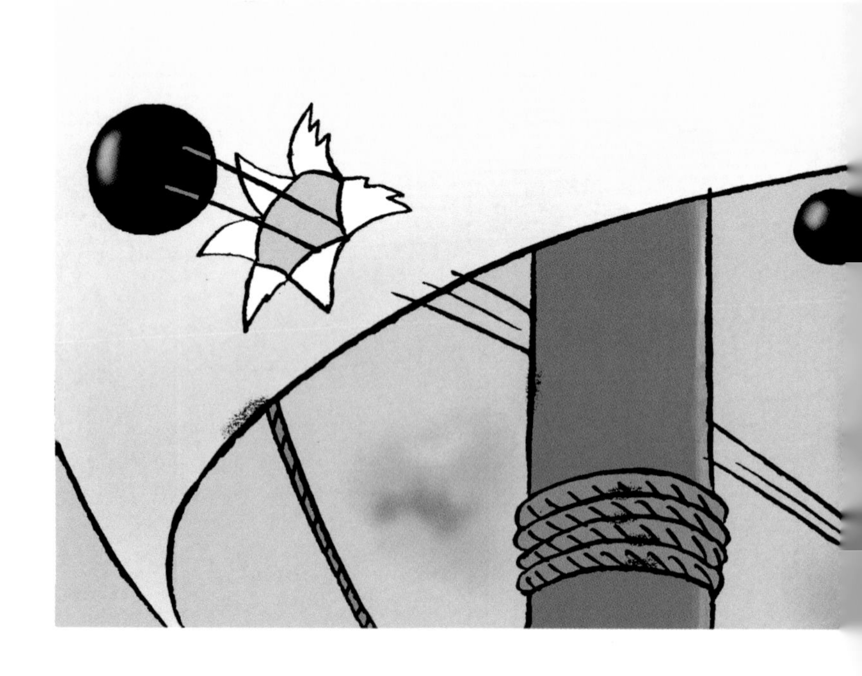

La situation est grave, très grave, et même gravissime. Le *Bon Appétit* est cerné, Tarte aux Pommes prisonnier, et Maman Marguerite, allongée dans sa cabine, gémit doucement. Le bébé risque d'arriver en plein abordage !

Barbe-Mousse croit que le trésor est un vrai trésor et attaque le *Bon Appétit* pour le récupérer.

Chapitre 4

Plume à la barre

La nuit s'épaissit et vient interrompre l'attaque ennemie.

Le capitaine Fourchette passe un long moment dans la cabine de sa femme.

Ensuite il réunit les enfants, pousse un gros soupir et leur avoue :
– C'est épouvantable ! Je ne sais plus quoi faire....

Charlotte est vraiment très pâle. Honoré baisse la tête sans rien dire. Juanito prend doucement la main de Madeleine. Plume renifle. Ses yeux le piquent, il a envie de pleurer. Son papa a l'air tellement malheureux que Plume se sent minable, minuscule, misérable. Alors, il se blottit contre le capitaine Fourchette et glisse sa main dans la sienne pour se rassurer, et aussi pour le consoler.
– Tu verras, Papa, ça s'arrangera, murmure-t-il.

Le capitaine Fourchette lui serre la main, très, très fort. Plume renifle encore un peu. Perle et Petit-Crochet échangent des regards inquiets.

Le lendemain matin, Plume se lève en bâillant comme un cachalot. Il a horriblement mal dormi. Dans tous ses cauchemars, il a vu Barbe-Mousse jouer aux quilles avec des crânes, des fémurs et des tibias. Alors qu'il se frotte les yeux, il entend un grand cri :

– Plume, Plume ! C'est terrible ! Ils... ils sont partis ! se lamente Charlotte.
– Qui ça ? demande Plume.
– Perle et Petit-Crochet ont disparu ! répond la fillette.
– Partis ? s'effare Plume.
– Je ne sais pas, gémit Charlotte. Ils ne sont plus là, et Flic-Flac et Noix de Coco non plus.
– C'est impossible..., bredouille Plume accablé.

Son meilleur ami l'a trahi et son amoureuse l'a abandonné. Il ne s'est jamais senti aussi triste de toute sa vie ! Pourtant il refoule vaillamment ses larmes et console Charlotte désespérée par la fuite de Petit-Crochet.

Le Massacreur, *Le Carnage* et *L'Épouvante* se rapprochent de plus en plus. Plume distingue déjà le visage des capitaines ennemis : ils ricanent en se frottant les mains.

– Alors, ce trésor ? Donnez-le-nous ! hurle Barbe-Mousse.

– Jamais ! rugit le capitaine Fourchette.

– On se défendra jusqu'à la mort ! ajoute Plume en brandissant son sabre.

– Vive les Fourchette ! renchérit Honoré debout sur son canon préféré.

Madeleine, très pâle, se tourne vers Juanito.

– Tu pourrais nager jusqu'au *Massacreur*, lui suggère-t-elle. C'est ton ancien bateau. Le capitaine Barbe-Mousse te reprendra à son service.

– Non ! réplique Juanito. Je ne t'abandonnerai jamais !

Plume et Honoré le regardent avec admiration. C'est beau l'amour !

– Il faut se défendre ! s'exclame le capitaine Fourchette. Madeleine et Juanito, pointez les canons de tribord*, Honoré et Charlotte, ceux de babord* ! Et toi, Plume, cours au gouvernail !

Plume rougit de fierté. Son papa lui confie le gouvernail en plein abordage !

TEMPÊTE

Le capitaine Fourchette confie la barre à Plume et organise la défense du *Bon Appétit*.

Chapitre 5

Le trésor est sauvé !

La situation est désespérée ! Le *Bon Appétit* risque de couler, mais soudain, Plume, toujours cramponné au gouvernail, crie de toutes ses forces :
– Hourra ! Nous sommes sauvés !

L'Ouragan, le navire du capitaine Barbe-Jaune, et *La Tempête,* celui de Marie la Murène, foncent vers le *Bon Appétit,* escortés par des pirogues où des guerriers bruns agitent des lances et des couteaux, des pistolets, des fusils et des tromblons. Les pirogues des cannibales ! Plume saute de joie. Petit-Crochet et Perle ne l'ont pas trahi, au contraire. Ils sont allés chercher de l'aide sur le dos de Flic-Flac !

L'Ouragan et *La Tempête* prennent à revers* les navires ennemis et les bombardent sans pitié.

Quant aux cannibales, ils agitent leurs armes en chantant :

– Nous aimons les méchants,
Les mauvais, les malfaisants !
On les aime avec des frites,
On les aime à la marmite !

– Courage, Plume ! Tout va bien ! s'écrie Petit-Crochet, perché sur la vigie* de *L'Ouragan*. Plus bas, Flic-Flac bondit dans l'écume tout autour du navire.
– Plume, je suis là ! clame Perle debout à la proue de la plus grande des pirogues.

– Hourrra ! Hourrra ! À l'aborrrdage ! braille Noix de Coco, perché sur la tête de sa maîtresse.

Barbe-Mousse, Tranche-Tripes et Triple-Taupe, paniqués, renoncent au trésor des Fourchette. Ils déploient aussitôt les voiles et s'enfuient sans demander leur reste. Le *Bon Appétit* est sauvé !

Quelques instants plus tard, Plume se jette dans les bras de Perle, et Charlotte dans ceux de Petit-Crochet. Le capitaine Fourchette remercie Barbe-Jaune, Marie la Murène et le roi des cannibales. Un des boulets a brisé la cage de Tarte aux Pommes, qui vole dans tous les sens en compagnie de Noix de Coco.

Ils se posent sur le nez de Flic-Flac qui danse sur les vagues.

Mais soudain, un cri sort de la cabine de Maman Marguerite.
– Qu'est-ce que c'est ? demande Barbe-Jaune.
– Le bébé arrive ! s'exclame Marie la Murène.

Elle se précipite vers la cabine. Le capitaine Fourchette, devenu tout pâle, s'appuie au grand mât.
– Papa, tu ne vas pas voir Maman ? s'étonne Plume.
– Je… je ne peux pas. C'est l'émotion, bredouille le capitaine Fourchette qui tremble comme une feuille.

Plume, très ému lui aussi, prend de nouveau la main de son père pour lui donner du courage. Tout le monde se tait. Les Fourchette et leurs amis attendent un long moment, le cœur battant.

Et puis… Marie la Murène remonte sur le pont en s'écriant :

– Ça y est !

– Alors, c'est un garçon ? demande Plume.

– Une fille ? demande Charlotte.

– Ce sont… des jumelles ! répond Marie la Murène.

– Hourra ! s'écrie Charlotte.

– Oh ! là, là ! Il va falloir DEUX noms de gâteau, se lamente Plume.

Il fronce les sourcils, réfléchit si fort que de la fumée lui sort presque des oreilles, et s'écrie joyeusement :
– Ça y est ! J'ai trouvé ! Les jumelles s'appelleront Angélique et Amandine !

❶ L'auteur

Paul Thiès est né en 1958 à Strasbourg, mais au lieu d'une cigogne, c'est un bel albatros aux ailes blanches qui l'a déposé dans la cour de la Maternelle. C'est que Paul Thiès est un grand voyageur, un habitué des sept mers et des cinq océans ! Il a fréquenté les galions d'Argentine, les caravelles espagnoles, les jonques du Japon, les jagandas du Venezuela et encore d'autres galions dorés au Mexique. Sans compter les bateaux-mouches sur la Seine et les chalutiers de Belle-Île-en-Mer ! Paul Thiès est donc un spécialiste des petits pirates, des vilains corsaires, des féroces boucaniers, des redoutables frères de la Côte, bref des forbans de tous poils ! Mais c'est Plume son préféré !
Alors, bon voyage et... à l'abordage !

❷ L'illustrateur

Louis Alloing

« La mer, je l'ai eue comme paysage depuis que je suis né. D'abord à Rabat, Maroc 1955, puis à Marseille. La mer Méditerranée. Une petite mer que j'imaginais parsemée de petites îles, de petites vagues, de petits pirates et qui sentait bon. Bon comme celle des Caraïbes. Comme celle de Plume et de Perle.
Maintenant à Paris, privé de la lumière du sud, de cet horizon bleu outremer, je divague sur la feuille à dessin. Je me laisse porter par la vague qui me mène sur les traces de Plume et de ses potes, et c'est pas simple. Ils bougent tout le temps ! Une vraie galère pour les suivre, accroché à mon crayon comme Plume à son sabre. Une aventure. Et pas une petite, une énorme... avec des petits pirates. »

Table des matières

2ème édition

Achevé d'imprimer en octobre 2007,
chez Clerc (France).